ⓑAmgueddfa Genedlaethol Cymru
Argraffiad cyntaf 2002
Cyhoeddwyd gan Amgueddfa Genedlaethol
Cymru
Parc Cathays
Caerdydd
CF10 3NP

ISBN 0 7200 0512 4
Testun: Elin ap Hywel
Dylunio a Chynhyrchu: Arwel Hughes, Mari Gordon
Argraffu: Westdale Press

Hefyd ar gael yn Saesneg

Llun tu mewn i'r clawr blaen: *Penrhyn Quarry*
gan Henry Hawkins (1822-80)
ⓑNational Trust Photographic
Library/Penrhyn/Douglas Pennant
Collection/John Hammond

AMGUEDDFEYDD AC ORIELAU CENEDLAETHOL CYMRU

Cynnwys

Croeso i Amgueddfa Lechi Cymru	4
Beth yw Llechi?	8
Cloddio Llechi	10
Yr Ysbyty, damweiniau ac afiechyd	13
Yr Incléin a'r wagenni	15
Ty'r Peiriannydd	17
Y Barics	18
Y Caban	21
Gweithdai Llifio	23
Yr Olwyn Ddŵr	24
Map	26
Y Ffowndri Haearn a Phres	29
Y Llofft Batrwm	30
Y Cwt Injan ac *Una*	31
Hollti a Naddu Llechi	34
Efail y Gof	37
Yr Iard a'r Cwt Shears	38
Y Gweithdy Trwsio a'r Gweithdy Peiriannau	39
Storfeydd, Swyddfa'r Clerc	40
1-4 Fron Haul	41
Cau'r Chwarel, Y Diwydiant Llechi Heddiw	45
Gwybodaeth i Ymwelwyr	47
Llyfrau i'w Darllen	50
Cydnabyddiaeth	50
Llinell Amser	51

Croeso cynnes i Amgueddfa Lechi Cymru Llanberis. Cartref yr Amgueddfa yw y Gilfach Ddu - hen weithdai Chwarel Dinorwig. Adeiladwyd y gweithdai ym 1870, ar batrwm digon tebyg i gaer o gyfnod yr Ymerodraeth Brydeinig. Golyga'r cwrt canolog, tŵr y cloc a'r ffenestri cywrain bod iddynt gymeriad arbennig iawn - cymeriad a gedwir hyd heddiw.

Yn y gweithdai hyn y gwnaed holl waith trwsio a chynnal a chadw chwarel a gyflogai dros 3,000 o ddynion. Atseiniai ponciau'r chwarel uwchlaw Gilfach Ddu yn sŵn y ffrwydriadau mawr a ryddhái'r llechi o'r graig. Islaw byddai'r gweithdai yn diasbedain yn sain morthwyl ac eingion, cŷn a gordd. Cydweithient i gynnal diwydiant a oedd, ar ei anterth, yn allforio miloedd o dunnelli o lechi Cymru i bedwar ban byd.

Caewyd Chwarel Dinorwig ym 1969. Nid saernïo wagenni a bwrw cledrau sydd yma heddiw ond adrodd hanes arbennig iawn: stori'r diwydiant llechi yng Nghymru. Yn y fan hon cewch fynd ar daith trwy orffennol diwydiant a ffordd o fyw a naddodd eu hunain yn ddwfn i gymeriad ein gwlad. Cewch glywed stori afaelgar sy'n cwmpasu digwyddiadau hanesyddol mawr, a manylion bychain bywyd bob dydd. Cynni a chynnen, cyfoeth a chydlafurio: holl ddrama hanes pobl go iawn.

'Roedd y Gilfach Ddu yn galon i'r Dinorwig. Odd isio calon go fowr i'r chwaral i gyd yn de, achos oedd na 3,700 yn gweithio yno pan es i yno yn y chwaral. Felly odd isio calon go fowr i sypleio hwnnw hefo bob peth.'

Dewch am dro gyda ni i fyd y chwarelwr . . .

DEFNYDDIO'R LLAWLYFR

Bydd y llyfryn hwn yn eich tywys o amgylch amrywiol weithdai ac ystafelloedd Amgueddfa Lechi Cymru fel y mae heddiw - o Dŷ'r Peiriannydd y naill ben i'r safle hyd dai Fron Haul yn y llall. Ar hyd y daith byddwn yn oedi bob yn hyn a hyn i gael gwybod mwy am gefndir y diwydiant llechi - pob dim o gloddio llechi hyd safle'r ferch.

Mae yno fap cyfleus yn y canol sy'n dangos gwahanol rannau'r safle a lleoliad yr holl gyfleusterau.

Ceir adran hylaw yng nghefn y llyfryn sy'n rhoi manylion am, er enghraifft, lluniaeth a chyfleusterau.

BETH YW LLECHI?

Mwd a wasgwyd o sawl cyfeiriad gan rymoedd y ddaear, a hynny dros gyfnod o gannoedd o filiynau o flynyddoedd, yw llechi. Mae llechi chwarel Dinorwig yn perthyn i gyfnod Cambriaidd yr Oes Baleosöig Is - cyfnod pan oedd y ddaear yn crynu gan ffrwydriadau o'r llosgfynyddoedd a ffurfiodd fynyddoedd Cymru yn y pen draw. (Cofiwch, roedd yr Wyddfa yn folcano ar un cyfnod!) Oherwydd eu hoed mae'r llechi hyn o safon uchel iawn.

Mica seristia, cwarts a clorit yw prif ddarnau llechfaen, ynghyd â rhannau bach o'r mwynau gwaedfaen a rwtil. Gall amrywiadau bychain iawn yng nghyfrannau'r mwynau hyn olygu bod gwahanol liwiau ar y llechi - yn enfys o wahanol fathau o wyrdd trwy las a llwyd i borffor tywyll, cyfoethog. Mae naw gwythïen o lechfaen yn rhedeg drwy fynydd Elidir, ac maen nhw'n dwyn yr enwau swynol: y werdd, coch y ffridd, y goch galed, y goch grychlyd, maengoch Cilgwyn, y las galed, y las isaf (neu wythïen Glynrhonwy), y las rywiog, a'r hen las.

CYNNYRCH LLECHI

Mae'n bosibl mai llechi Cymru yw'r rhai gorau yn y byd: maen nhw'n hawdd i'w hollti ar y naill law ac yn gryf iawn ar y llaw arall. Mae'r nodweddion hyn yn golygu eu bod nhw'n arbennig o addas ar gyfer toeau (nid yw dŵr na rhew yn effeithio dim ar lechi); byrddau fel byrddau biliards a byrddau labordy; a switsfyrddau trydanol (ni all llechfaen losgi ac nid yw'n dargludo trydan o gwbl). Yn Oes y Tuduriaid, defnyddiwyd llechi o chwarel y Penrhyn ger Bethesda i doi'r gadeirlan newydd-ei-hadfer yn Llanelwy. Dros bedair canrif yn ddiweddarach, mae'r llechi hynny'n dal i fod yno er gwaethaf pob tywydd.

Defnyddir llechi hefyd i wneud pob math o bethau addurniadol, hardd - yn glociau haul, yn ganhwyll-brennau, yn reseli llyfrau a llu o bethau eraill. Cewch brynu anrhegion fel hyn i fynd adref â chi o siop yr Amgueddfa.

A beth am y graig na chafodd ei defnyddio i wneud y llechi gorau? Ers talwm byddai cloddio tunnell o lechi yn golygu creu cymaint ag ugain tunnell o wastraff. Ond heddiw defnyddir pob dim - i godi tai, yn friciau ac yn deils, i adeiladu ffyrdd ac - ar ffurf powdwr mân iawn - mewn nwyddau fel colur a phowdwr talcym.

CLODDIO LLECHI

Cloddiwyd chwarel Dinorwig allan o fynydd Elidir, fry uwch ben y Gilfach Ddu. Y cam cyntaf yn y broses o gloddio llechi oedd rhyddhau peth o'r graig - yn gannoedd o dunelli weithiau - o'r wyneb. Byddai'r chwarelwyr yn tyllu i'r graig a'i lenwi â phowdwr du ('y rhwygwr du' neu'r 'llwch du bach') neu ffrwydron. (Rhoddai powdwr du ffrwydriad 'tynerach', a oedd yn llai tebygol o niweidio craig dda.) Rhoddwyd ffiws yn y powdwr a'i danio gan un dyn a fyddai wedyn yn ymuno'n reit handi â'i gydweithwyr yn y caban 'mochel.

Digwyddai'r ffrwydro ar adegau penodedig pob dydd.

Wedi dychwelyd at wyneb y graig byddai angen clirio'r rwbel ac unrhyw ddarnau simsan, peryglus o'r graig. Byddai dau o'r chwarelwyr wedyn yn mynd ati i droi'r blociau llechi'n 'bileri' o 100kg-200kg yr un gyda chŷn galed a morthwyl. Byddai dau aelod arall o'r un tîm wrthi'n gweithio yn un o'r gwalia agored - cytiau dan do heb flaenau iddynt. Wedi iddo bileru'r crawiau yn ddarnau hirsgwar, byddai un o'r dynion yn eu hollti wedyn yn wahanol drwch, yn ôl safon y graig. Anelai at gael 16 o lechi o un grawen - gan ddibynnu ar yr ansawdd. Defnyddiai gŷn brasollt a gordd o dderw Affrica i hollti'r llechi.

Y FARGEN

Rhedai chwareli ar system y 'fargen'. Darn o graig tua chwellath o led oedd y fargen, a hyfforddid aelodau tîm y fargen i weithio ar y bonc ac yn y gwalia hefyd. Bob yn bedair wythnos byddai giang o chwarelwyr, tîm y fargen, yn llythrennol fargeinio gyda stiward bargen y chwarel am delerau gweithio'r fargen. Sonid am hyn-a-hyn o arian y dunnell am graig dda a hyn-a-hyn eto am rwbel. Gwaith y stiward wedyn fyddai ceisio gostwng y pris mor isel â phosibl trwy frolio'r graig, a'r dynion wedyn yn ceisio ei godi trwy ddifrïo'r graig a'i galw'n graig sâl. Dibynnai cyflog holl aelodau'r tîm ar ganlyniadau'r bargeinio: dim rhyfedd felly bod y system hon yn agored i bob math o annhegwch.

Eisteddai ei bartner yn y cyfamser ar 'drafal', ymyl syth o haearn a dur mewn darn o bren ar ogwydd. Byddai'n naddu'r llechen yn ongl syth gyda thociwr neu gyllell fach, ac yna yn ei naddu eto i faint arbennig. Byddai hyn oll yn digwydd yn gyflym iawn, heb dynnu anadl bron, ond er mor ddiymdrech yr edrychai roedd yn galw am lygad arbennig o graff a dealltwriaeth gadarn o natur y graig.

Yn ddiweddarach defnyddid peiriannau trydan a fyddai'n llifio'r llechi a'u naddu. Trwy weithio'r offer mewn awyrgylch llaith arbedwyd llawer ar ysgyfaint y chwarelwyr. Ond ni fedrai'r peiriannau wneud holl waith dyn a hyd heddiw holltir llechi â llaw yng Nghymru.

Pwysid y llechi a'u cludo wedyn ar wagenni i lawr yr incléin ac oddi yno i'r Felinheli i'w hallforio - neu i'w storio am dipyn, os oedd hi'n gyfnod tlawd ar y fasnach lechi.

Rybelwyr (prentisiaid) c. 1890

ENWAU'R PONCIAU

Roedd gan yr holl bonciau - y terasau uchel yn y graig lle cloddid y llechi - eu henwau eu hunain. Yn aml roedd y rhain yn gysylltiedig â digwyddiadau hanesyddol fel rhyfeloedd a brwydrau (e.e. y *Crimea* a *Sebastopol* yn chwarel y Penrhyn) - dro arall, gymeriadau lleol. Byddai chwarelwyr Dinorwig, er enghraifft, yn brolio weithiau iddyn nhw ymweld ag *Abyssinia* a *California* yr un diwrnod! Roedd yna enwau mwy cartrefol hefyd - fel *Alice, Aberdaron* a *Princess May*. Mae nifer o'r wagenni sydd yng nghasgliad yr Amgueddfa yn dal i ddwyn enwau'r bonc lle caent eu defnyddio.

Y CHWYLDRO DIWYDIANNOL A'R FASNACH LECHI

Bu dynion yn cloddio llechi yng ngogledd Cymru ers dros 1,800 o flynddoedd. Defnyddiwyd llechi i adeiladu rhannau o'r gaer Rufeinig yn Segontium yng Nghaernarfon - ac yng nghastell mawreddog Edward 1af yng Nghonwy.

Ond gyda dyfodiad y Chwyldro Diwydiannol yn y 18fed ganrif y ffrwydrodd y diwydiant llechi go iawn. Wrth i bentrefi bychain fel Manceinion chwyddo'n drefi mawr ac yna'n ddinasoedd yn sgîl dyfodiad ffatrïoedd a gweithfeydd, daeth galw mawr am lechi i doi'r terasau hirion o dai a adeiladwyd yn gartrefi i'r gweithwyr - heb sôn am y ffatrïoedd a'r ffowndris eu hunain.

Ym 1787 agorwyd 'chwarel fawr newydd' Dinorwig gan bartneriaeth o dri gŵr busnes - a Thomas Assheton Smith yn un ohonynt - ar y llethrau rhwng lleoliad presennol pentref Dinorwig a glannau Llyn Peris. Erbyn y 1870au roedd Chwarel Dinorwig yn cyflogi dros 3,000 o ddynion.

Erbyn hyn, cloddio llechi oedd un o ddiwydiannau pwysicaf Cymru. Yn wir, Cymru a gynhyrchai dros bedair rhan o bump o holl lechi Prydain yn y cyfnod hwn, a Sir Gaernarfon oedd ar y brig ymhlith holl siroedd Cymru. Ym 1882 cynhyrchodd chwareli'r sir dros 280,000 o dunelli o lechi toi gorffenedig; ac ym 1898 cyrhaeddodd y fasnach lechi yng Nghymru'n gyffredinol ei hanterth pan gynhyrchodd 17,000 o ddynion 485,000 o dunelli o lechi.

12

Y CHWAREL

Roedd y chwarel yn fyd ar wahân i'r gweithdai. Golygai'r holl waith ffrwydro oedd yn mynd ymlaen yno iddo ail-lunio'r mynydd bob dydd a newid ei ddaearyddiaeth. Codai'r ponciau hyd at 650 medr uwch lefel y môr. Roedd yno walia a chabanau a llwybrau trwy'r ddrysfa o gytiau a lefelau; roedd y dynion yn adnabod yr holl wahanol elfennau hyn yn ôl eu henwau.

YR YSBYTY, DAMWEINIAU AC AFIECHYD

'Odd ych cyflog chi'n stopio, y noson oddach chi'n câl ych brifo.'

'Os bydda 'na ddamwain, bydda chwarelwrs yn mynd adra 'de. Darfod gweithio'r diwrnod hwnnw. Parch 'de.'

Yn groes i'r Gilfach Ddu, a oedd ar y cyfan yn lle diogel i weithio, medrai'r chwarel fod yn lle hynod o beryglus. Golygai'r holl waith ffrwydro y gallai craig ansad ddisgyn yn ddirybudd, gan gladdu gweithiwr yn fyw neu ei daflu tros ddibyn gannoedd o droedfeddi o uchder. Rhwng 1822 a 1969 lladdwyd 362 i gyd, er na laddwyd erioed mwy na thri ar y tro. Damweiniau claddu gan graig oedd y rhan fwyaf ohonynt.

Wedi adeiladu Ysbyty bwrpasol ar lannau Llyn Padarn ym 1860, byddai dynion a oedd wedi cael damwain yn cael eu cludo yno'n syth i dderbyn sylw meddygol gan ddoctor yr Ysbyty. Bu yno gyfres o feddygon dros y

blynyddoedd. Y mwyaf nodedig ohonynt, o bosib, oedd Dr Mills Roberts – gŵr amryddawn dros ben, yn ôl pob sôn. Yn ogystal â chwarae pêl-droed dros Gymru yr oedd yn llawfeddyg ardderchog a allai ymateb yn chwim i amgylchiadau arbennig gweithle fel y chwarel. Dr Mills Roberts a gof y Gilfach Ddu a luniodd ddwy fraich fetel i chwarelwr a oedd wedi colli ei freichiau ei hun mewn damwain.

Cyn cyfnod y Wladwriaeth Lês, cedwid swllt (5c heddiw) - 'swllt hospitol' - yn ôl o gyflogau'r dynion fel y câi'r chwarelwr neu unrhyw aelod o'i deulu a âi'n sâl fynd i'r ysbyty. Peth arferol iawn fyddai cynnal cyngherddau elusennol, a chyfeillion chwarelwr a oedd wedi colli ei waith oherwydd afiechyd ac aelodau o'r gymdeithas leol, yn rhoi o'u doniau a'u llafur yn rhad i godi arian iddo ef a'i deulu.

Roedd yno fygythiadau llai amlwg i iechyd y chwarelwyr, hefyd – yn arbennig felly y diciáu a chlefyd y llwch (silicosis). Rhoesai Dr Mills Roberts awgrymiadau ymarferol a chall ar eu hiechyd i'r chwarelwyr a'u teuluoedd: awyru'r tŷ yn dda, gwisgo gwlanen nesaf at y croen ac ymolchi yn aml. Dylai'r chwarelwr 'fyw am rhywbeth heblaw te a bara menyn, ac amrywio ei ddeiet â bwydydd o bob math, yn arbennig llysiau'r ardd'. Ond dadlennol yw ei argymhelliad i gofio 'nad oes Dim Maeth mewn Te', oherwydd am flynyddoedd lawer bu meddygon yn rhoi'r bai am glefyd y llwch ar arfer y dynion o yfed te cryf a fyddai'n mwydo ganddynt drwy'r dydd.

Erbyn heddiw, Cyngor Sir Gwynedd sy'n rhedeg Canolfan Ymwelwyr yr Ysbyty. Mae ar agor yn rheolaidd yn ystod

misoedd yr haf (gweler y bwrdd du wrth y fynedfa i ganolfan hysbysrwydd Parc Padarn).

Penrhyn Quarry Hospital,
Bethesda, N. Wales.
6/1/22.
We have no case of Silicosis in this quarry of which I am aware, and I became convinced after four years' experience here that Slate dust is not merely harmless, but beneficial. The record of the men who have worked in the dusty shed at the mill since 1870 is available, and they were mostly alive prior to the war. I can send you a copy of the list. The light that recent research work has shared on the influence of dust inhalation upon the incidence of Phithisis all goes to support my view, and I would challenge anyone to prove otherwise.
J. BRADLEY HUGHES,
Medical Officer.

Gallai seiri Gilfach Ddu droi eu dwylo at amryw o anghenion y chwarelwyr, gan gynnwys gwneud coes bren i chwarelwr a anafwyd

YR INCLÉIN A'R WAGENNI: ALLFORIO'R LLECHI

Buddsoddodd perchnogion y chwareli'n drwm i adeiladu ffyrdd a rheilffyrdd i wella'r cysylltiadau rhwng eu chwareli a'r porthladdoedd. Fel y mae ei henw Saesneg, Port Dinorwic, yn awgrymu, datblygwyd pentref pysgota bychan Y Felinheli yn borthladd pwysig ar gyfer allforio llechi Chwarel Dinorwig. Ar y dechrau, cludid y llechi mewn cewyll ar gefn ceffylau i'r Cei Llydan ac oddi yno ar gychod i Gwm-y-Glo ac wedyn ar droliau i Gaernarfon a'r Felinheli.

(Yn y Cwt Injan cewch weld cwch cludo llechi o'r 18fed ganrif a godwyd o Lyn Padarn yn y 1970au.) Costiai mwy i gludo'r llechen nag i'w chynhyrchu - ym 1778, er enghraifft, costiai'n ddrutach i gludo'r llechi i'r Felinheli nag y gwnâi i'w cludo nhw oddi yno i Lerpwl!

Ym 1824 adeiladwyd tramffordd geffyl i gysylltu'r chwarel a'r porthladd. Ond erbyn 1848-9, datblygwyd ffordd mwy effeithiol fyth o gludo'r llechi, sef

incléin a byddai'r broses yn cychwyn drachefn.

Cafodd yr incléin hon, a alwyd y V2, ei hadfer i'w chyflwr gwreiddiol ym 1998, diolch i grant gan Gronfa Dreftadaeth y Loteri a bellach mae modd i'w gweld hi ar waith yn gyson (gwelir y manylion ar fwrdd du wrth y fynedfa i'r Amgueddfa). Hon yn wir yw'r unig incléin sydd ar waith yng ngwledydd Prydain heddiw.

Dim ond y cam cyntaf, wrth gwrs, oedd cael y llechi i'r porthladd. Oddi yno aent yn eu miloedd ar longau ager a llongau hwylio i arfordir Prydain, gogledd Ewrop, UDA ac Awstralia - pedwar ban byd yng ngwir ystyr yr ymadrodd.

rheilffordd trenau stêm Padarn. Byddai *Jenny Lind* a *Fire Queen* i'w gweld yn gyson yn stemio'n ôl a blaen i Benscoins, uwchlaw pentref y Felinheli. Ond sut oedd cael y llechi i lawr y mynydd at y trenau?

O ddilyn yr arwyddion at yr incléin mi welwch yr ateb: llwythid y llechi ar wagenni a fyddai'n disgyn i lawr yr incléin ar gledrau hyd y gwaelod, lle caent eu gwagio. Byddai gwrthbwys wedyn yn tynnu'r wagenni gweigion yn ôl i fyny'r

Y GILFACH DDU

'Mae'n siŵr bod na ryw drigain, deg ar hugian rhwng powb 'te… oen na tritars, seiri coed, gofaint, mowldars …Oeddan ni'n hollol hunangynhaliol 'de, bob dim yma.'

Ymfalchïai'r peirianwyr yn y Gilfach Ddu yn y ffaith y gallent lunio neu drwsio unrhyw offeryn, bron, at ddefnydd y chwarel a'r porth-ladd - yn bob dim o gŷn hyd injan stêm. I wneud hyn roedd galw am nwyddau crai - er enghraifft coed a haearn - ac ynni, a gyflenwid gan yr olwyn ddŵr fawr (gweler tud. 26).

Ond roedd yna dipyn o dynnu coes rhwng y chwarelwyr a dynion y Gilfach Ddu. Fel y cofia Gwilym Davies:
'Oeddan nhw'n galw ni yn yr iard yn Lindys am bod ni'n byta a dim yn cynhyrchu 'de… Hen Deulu oeddan nhw'n galw'r chwarelwyr 'de.'
Ac yng ngeiriau Hugh Richard Jones,
'O nw'n meddwl nag oeddan ni'n gneud dim mewn gwirionedd 'de. Mai nhw odd yn cadw ni. Mai nid y gwaith odd yn cadw ni, ond mai proffit nhw odd yn mynd i gadw ni. Dyna pam oedd y manijar yn deud mai lindys oeddan ni 'de. Byta'r proffit i gyd.'

Serch hynny roedd gwaith beunyddiol y Gilfach Ddu yn gwbl hanfodol i lwyddiant y chwarel.

TŶ'R PEIRIANNYDD

Dyma'r adeilad cyntaf a welwch wrth droi i'r chwith wedi'r porth. Y Peiriannydd oedd yn gyfrifol am bob agwedd ar y gwaith peirianyddol yn y chwarel. Roedd yn gyfleus iddo felly fyw mewn tŷ a oedd yn rhan o'r cwrt ei hun. Ar wahanol gyfnodau rhwng 1870 a 1969 bu cyfres o Beirianwyr a Gofalwyr y Gilfach Ddu a'u teuluoedd yn byw yma. Bellach fe'i dodrefnwyd fel y buasai ym 1911, a'r llenni melfed coch a'r organ yn y parlwr yn adlewyrchu tipyn gwell byd nag oedd i'w weld yng nghartrefi'r chwarelwyr cyffredin yn y pentref islaw. Gwelir cegin, parlwr ac ystafell fyw o'r cyfnod; bellach mae'r ystafelloedd gwely i fyny'r grisiau yn swyddfeydd.

Fel y mae'r Golchdy yn ei awgrymu, rhwng y gwaith golchi, glanhau, twtio, gwnïo a phobi - heb sôn am fagu plant – bywydau digon caled a gawsai'r gwragedd fu'n byw yn Nhŷ'r Periannydd. Ar ben hynny i gyd, roedd gofyn cadw'r parlwr fel pin mewn papur rhag ofn y deuai 'pobl ddiarth' i ymweld - a hynny ynghanol yr holl lafur, llwch a sŵn a godai o'r iard.

Byddai'r tŷ hwn, gyda'i gyflenwad o drydan, yn fwy cysurus na chartrefi'r chwarelwyr cyffredin a'r dynion a weithiai yn yr iard - tai fel rhes Fron Haul, sydd i'w gweld y tu hwnt i'r Ffowntan. Ond er moethusrwydd Tŷ'r Peiriannydd, roedd yn ddistadl iawn o'i gymharu â chartref ysblennydd perchnogion y chwarel yn Y Faenol. Bellach, mae'n fan ardderchog i ddangos sut yr oedd pobl gyffredin yr ardal yn byw ac yn gweithio yn negawdau cyntaf yr 20fed ganrif.

Dysgu sut fyddai gwragedd yn ymdopi â'u holl waith yn nechrau'r 20fed ganrif

Y BARICS

Yn gyferbyniad i dŷ diddos y Peiriannydd ceid y barics, ymhell uwchlaw'r Amgueddfa, sef yr adeiladau ger y ponciau lle byddai'r dynion a deithiai o bell yn aros yn ystod yr wythnos. Ers talwm byddai gŵyr o rannau o Sir Fôn – Llangaffo, er enghraifft - yn gadael cartref cyn tri ar fore Llun ac yn cerdded at Fferi Moel y Don. Cerdded o'r Felinheli i Benscoins wedyn i ddal y trên yr ochr draw, ac yna dringo i'r barics. A hynny i gyd cyn cychwyn gwaith y dydd! Byddai gan lawer ohonynt dyddynnod draw ym Môn a deuent â'u bwyd – bara a chaws, menyn cartref a chig moch - ganddynt yn eu waledi, sef sgrepanau hir o liain gwyn. Yn wir, 'moch Môn' yr oedd y chwarelwyr eraill yn galw ar y dynion hyn!

Roedd stafell fyw a stafell wely ym mhob barics, a lle i bedwar dyn. Rhyw fannau digon llwm oeddent mewn gwirionedd – doedd yno ddim trydan, roedd y celfi'n arw ac roeddent yn llefydd da dros ben i fagu chwain! Rhaid oedd gosod papur llwyd ar y ffenestri i gadw'r gwynt draw. Gallai hwnnw fod yn ddigon milain – roedd yno res o farics ym Mhonc Aberdaron, dros 600 medr uwch lefel y môr, a fedyddiwyd 'Ireland View'.

Y PERCHNOGION A'U CYFOETH

Bu pobl leol yn gweithio'r mynydd am ganrifoedd cyn cychwyn chwarel Dinorwig. Ym 1788 talodd Assheton Smith i feilïaid i fwrw'r bobl hynny o'u chwareli bychain.

Erbyn chwarter olaf y 19eg ganrif, pum teulu oedd biau bron i hanner y tir yng Ngwynedd. Teulu Assheton Smith o swydd Gaer - 'y bobol fawr' - oedd biau Chwarel Dinorwig. Ymestynnai eu stad, stad Y Faenol ar lan y Fenai, dros 34,000 erw o dir.

Yn y cyfnod hwn yr oedd gan George William Duff Assheton Smith, er enghraifft, fwy o ddiddordeb o lawer yn ei stad nag yn y Chwarel. Ym Mharc y Faenol cadwai wartheg gwynion, ceirw a bison o America heb sôn am eirth a mwncïod! Diddordebau boneddigaidd mwy cyffredin yr oes oedd gan ei frawd Charles – enillodd ei geffylau rasio y *Grand National* bedair gwaith, a ffolai ar ei gychod hwylio. Yn wir, enwid un injan stêm yn y chwarel, *Pandora*, ar ôl un o'r cychod hyn.

Er gwaethaf eu diddordebau uchel-ael a'r gagendor enfawr o ran safon byw rhwng y perchnogion a'r chwarelwyr, roedd amryw o deulu Assheton Smith yn feistri teg a chydwybodol. Er mai perthynas hierarchaidd oedd rhyngddynt a'u rheolwyr a'r gweithwyr, gallent fod yn garedig; er enghraifft trefnwyd i'r chwarelwyr i gyd fynd i Lundain ym 1887 i weld dathliadau Jiwbili y Frenhines Fictoria.

Y Faenol, cartref teulu Assheton Smith, perchnogion Chwarel Dinorwig

19

DWYN Y MYNYDD

Mae'r hen gwt oel, heibio i Dŷ'r Peiriannydd, bellach yn gartref i gyflwyniad 3-D amlgyfrwng arloesol. Mae 'Dwyn y Mynydd' yn harneisio technoleg ddiweddaraf yr 21ain ganrif i adrodd hanes datblygiad y chwarel. Trwy gyfrwng lluniau, geiriau a cherddoriaeth cewch gyflwyniad gwefreiddiol i fyd y chwarelwr. Yr actor John Ogwen - sydd, wrth gwrs, yn hanu o ardal y chwareli - sy'n adrodd y stori ac mae'n hanes llawn gobaith a swyn ar brydiau, yn ogystal â thristwch a chynni.

Mae'r cyflwyniad i'w weld yn rheolaidd ac ar ddangos yn Saesneg, Ffrangeg ac Almaeneg yn ogystal â Chymraeg.

Y CABAN

Yn y Caban byddai gweithwyr y Gilfach Ddu yn ymgynnull yn yr awr ginio i fwyta'u tamaid ac i yfed te. Dyma gyfle i gymdeithasu ac i drafod materion y dydd; byddai Llywydd y Caban yn darllen o'r papur newydd ac yn cyhoeddi manylion am ddigwyddiadau lleol fel cyngherddau ac oedfaon capel. Anrhydedd oedd cael eich dewis yn Llywydd ar y Caban; golygai bod gan y dynion gryn feddwl o'ch cymeriad a'ch barn. Byddai stof ynghanol y stafell yn bwrw'i gwres ac eisteddai'r dynion o'i chwmpas yn ôl eu trefn gyda'r bechgyn ieuengaf agosaf at y drws. Rhwng y stof a chotiau gwlybion yn sychu, awyrgylch gynnes ond clos oedd yno yn ôl y sôn – a'r 'ffowntan' ddŵr yn dragwyddol ferwi at de'r awr ginio. Roedd hi'n anhepgor cadw'r ffowntan i ferwi drwy'r adeg.

Roedd yna gabanau i'r chwarelwyr ar y ponciau hefyd, ac yn aml cynhelid eisteddfodau yn y naill neu'r llall o'r rhain. Caed pob math o gystadlaethau, gan gynnwys her adroddiad ac ambiwlans, cystadlaethau canu i bartïon ac unigolion, ac weithiau cafwyd Cadeirio go iawn - er mai stôl ar ffurf blocyn hollti oedd y gadair mewn gwirionedd!

'Oeddach chi ddim ishio 'Eco'r Wyddfa' na dim byd, papur bro 'wan. Odd 'na bobl yn dŵad oedd, o Waunfawr, G'narfon, Llanrug, Cwm y Glo, rheiny gyd yn cwarfod yna wyddoch chi. 'Edyn oeddach chi'n gwbod be oedd yn digwydd yn y pentra yna.'

'Champion o dân coch mowr fydda'n disgwl powb 'te.'

BYWYD CYMDEITHASOL A DIWYLLIANNOL

Ar anterth y diwydiant llechi yn Sir Gaernarfon roedd Llanberis a'r cylch yn fwrlwm o weithgarwch o bob math. Roedd bywyd y tu allan i oriau gwaith yn troi i lawer o amgylch y capeli, yn arbennig felly yn y blynyddoedd cyn yr Ail Ryfel Byd. Yn wir ceid oedfaon arbennig amser cinio i'r chwarelwyr yn y capeli hynny oedd agosaf at y chwarel. Roedd i'r capel ei fywyd diwylliannol llawn ei hun, rhwng y seiat, y cyfarfod gweddi, cymdeithas y chwiorydd a'r gymdeithas ddiwylliadol. Yn y cyfamser roedd yno ddigon o gyfle i ddangos doniau dramatig ac eisteddfodol trwy gyfrwng llu o gymdeithasau a chlybiau bychain, a llawer o lenydda. Roedd y bandiau pres yn hynod o boblogaidd - ar un adeg roedd gan bob pentref o unrhyw sylwedd yn y cyffiniau fand ar waith. Roedd yno ddigon o fynd ar chwaraeon hefyd, gydag aml i dîm pêl-droed. Nid gwaith a gweddi oedd pob dim, er mor bwysig yr oedden nhw.

Y GWEITHDAI LLIFIO

Roedd yno dri chwt llifio yn y Gilfach Ddu ag ynddynt nifer o lifiau arbenigol at wahanol ddibenion. Roedd llif fawr gron a ddefnyddid i dorri trwy foncyffion coed mawr ar eu hyd. Roedd roleri ar y bwrdd llifio ei hun a byddai'r rhain yn ei gwneud hi'n haws i fwydo'r pren i mewn i lafn y llif. Roedd gagendor fawr o dan y llafn, a byddai'r blawd llif yn disgyn i'r cafn hwn. Deuai'r coed eu hunain o Stad y Faenol.

Yn y cwt llif *'up and down'* gwelir llif sydd, mewn gwirionedd, yn nifer o lifiau cyfochrog. Defnyddid hon wrth gwrs i lifio pren yn blanciau, ond byddai hefyd yn cynhyrchu'r seiliau ar gyfer cledrau'r incléin, trawstiau ar gyfer adeiladau, y gyrddau a ddefnyddiai'r chwarelwyr wrth hollti llechi, a choesau ar gyfer y craeniau trithroed a fyddai'n codi crawiau llechi yn y chwarel.

Mae'r Cwt Sils yn cynnwys dwy lif arbennig, ac mae'n debyg y gwnaed y ddwy yn y Gilfach Ddu. Defnyddid y naill i dorri slotiau yn y sliperi pren caled (sef 'sils') a oedd yn cynnal y traciau 61cm o led ar y ponciau, a'r llall i lifio'r spragiau a ddefnyddid i ddal y cledrau'n dynn yn eu lle.

'Mi oedd 'na waith coed ym mhob man wyddoch chi, roedd isio drysa, ffenestri, a gneud llawar iawn o betha…Mi oedd 'na ddigon o waith i seiri.'

YR OLWYN DDŴR

Rhwng 1870, pan gafodd ei llunio gan gwmni De Winton o Gaernarfon, a 1925, pan ddechreuwyd defnyddio'r olwyn Pelton lai, yr olwyn hon oedd yn cyflenwi ynni i holl weithdai'r Gilfach Ddu. Mae'n ddigon o ryfeddod hyd heddiw. Dyma'r olwyn ddŵr fwyaf sydd i'w gweld ar dir mawr Prydain: mae'n 15.4 medr ar ei thraws.

Ym 1870, pan godwyd y gweithdai, roedd gan y peirianwyr ddau ddewis: gosod injan stêm enfawr yma, neu ddefnyddio grym dŵr. Byddai gosod injan stêm yn golygu gorfod prynu glo, a'i gludo o'r Felinheli ar y rheilffordd hefyd - ac roedd hynny'n costio pres. Wedi talu am y bibell a'r olwyn ddŵr, ar y llaw arall, byddai'r dŵr yn rhad ac am ddim.

Daw'r dŵr sy'n gyrru'r olwyn o raeadr Ceunant, uwchben Llanberis, mewn pibelli haearn bwrw. Bydd y dŵr yn codi o'i hunan wedyn i'r tanc uwch ben yr olwyn (mae hyn yn digwydd oherwydd bod y ffynhonnell yn uwch na lefel y tanc). Daw gyriant yr olwyn o'i hymylon, ac nid o'i both, ac felly dim ond dal yr olwyn at ei gilydd y gwna'r breichiau - yn debyg i olwyn feic.

Trwy gyfrwng system o ddannedd ac olwynion piniwn, mae'r ynni a ddaw o'r dŵr sy'n llifo o'r naill un o fwcedi'r olwyn i'r llall yn teithio ar hyd echel i bob un o weithdai'r safle.

Mae cydbwysedd yr olwyn gystal nes ei bod yn dechrau troi y funud y bydd un yn unig o'i 140 o fwcedi yn llenwi â dwr.

Mae'r olwyn gyfan yn destament i ddoniau peirianwyr lleol, ac yn dal i weithio dros ganrif a chwarter wedi ei llunio. Fel yr incléin, adferwyd yr olwyn yn y flwyddyn 2000 diolch i grant gan Gronfa Dreftadaeth y Loteri ac mae ar waith yn gyson. Cofiwch ddringo'r grisiau neu esgyn yn y lifft i'w gweld – cewch syniad da felly o rym anferthol yr olwyn oedd yn gyrru holl weithgareddau'r gweithdai.

Er gwaethaf ei chynllun effeithiol, fodd bynnag, erbyn 1925 yr oedd yr olwyn wedi treulio llawer wedi blynyddoedd o waith. Pob tro y deuai'r olwyn i stop byddai'r gwaith i gyd o reidrwydd yn dod i stop hefyd. Penderfynwyd gosod olwyn Pelton ar gangen i'r brif bibell, yn y gornel o dan yr olwyn fawr. Er ei bod yn llai o lawer, roedd hon dipyn yn fwy effeithlon na'r olwyn fawr oherwydd mai ynni cinetig (o ddŵr yn rhuthro drwy bibell a oedd yn raddol gulhau) oedd yn ei gyrru yn hytrach na dŵr yn disgyn o uchder mawr, sef ynni potensial, fel yn achos yr olwyn ddŵr.

Roedd yna rai prosesau pwysicach na'i gilydd yn y gwaith - a wiw i'r olwyn fethu ar yr adegau hynny.

Mae Alwyn Owen yn cofio *'Dio'm ots faint 'sach chi'n canu ar y gloch 'san nhw ddim yn stopio diwrnod castio am y rheswm roedd hi'n troi y ffan 'ma odd yn cynhyrchu gwynt i'r ffwrnais 'te…Ag os oedd y llif fowr na'n llifio plancia, chai honno'm stopio chwaith ne' sai'n cau cychwyn wedyn. Odd honno'n cael blaenoriaeth.'*

Dim ond unwaith y gwyddys i olwyn Pelton fethu, a hynny yn ystod gaeaf caled 1947, pan rewodd y dŵr yn y bibell a'i cludai o raeadr Ceunant.

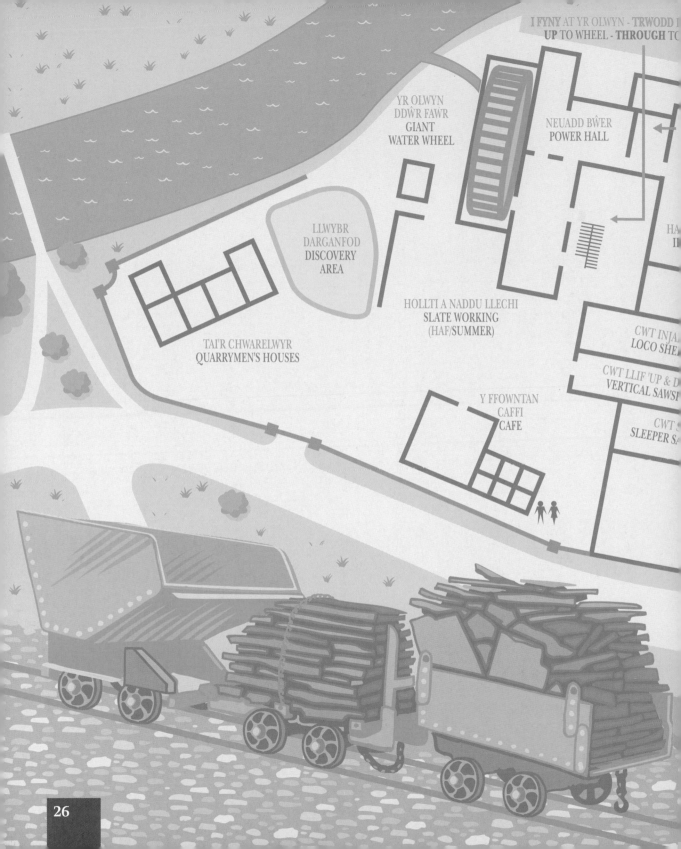

EFAIL Y GOF
BLACKSMITHS' FORGES

EFAIL Y GOF
BLACKSMITHS' FORGES

GWEITHDY TRWSIO
REPAIR SHOP

GWEITHDY PEIRIANNAŬ
MACHINE SHOP

CWT SHEARS
CROPPING SHED

STORFEYDD
STORES

SIOP
SHOP

SWYDDFA'R CLERC
CLERK'S OFFICE

I'R OLWYN DDŴR,
TAI'R CHWARELWYR, CAFFI
**TO WATER WHEEL,
QUARRYMEN'S HOUSES, CAFE**

TŶ'R PRIF BEIRIANNYDD
CHIEF ENGINEER'S HOUSE

MYNEDIAD
ENTRY

ANGOSFEYDD
HIBITIONS

ADDYSG
EDUCATION

Y CABAN
THE CABAN

DWYN Y MYNYDD
TO STEAL A MOUNTAIN

I'R INCLÉIN
TO THE WORKING INCLINE PLANE

YNNI YN Y GWEITHLE

Cludid yr ynni a gynhyrchai'r olwyn ddŵr i'r gwahanol weithdai trwy gyfrwng echel. Yr echel hon, a oedd yn fodd i droi turnau a gyrru morthwylion, symud llifiau a driliau, oedd gwythiennau'r gweithdy. Cludai ynni'r olwyn i bob rhan o'r gweithdai gan roi bywyd i beiriannau a fyddai fel arall yn llonydd.

Y FFOWNDRI HAEARN A PHRES

Dyma'r fan lle byddai'r gweithwyr yn cyn-hyrchu'r cydrannau metel ar gyfer pob math o beiriannau ac offer a ddefnyddid yn y Gilfach Ddu. Mae'n enghraifft dda iawn o ba mor hunan-gynhaliol oedd y gweithdai hyn. Dyma, hefyd, ystafell uchaf yr Amgueddfa, a hynny er mwyn cynnwys y ffwrnais 9.5 medr o uchder, y craen a'r jib.

Er mwyn cynhyrchu'r gwahanol ddarnau, y cam cyntaf oedd creu patry-mau ar eu cyfer . Câi'r rhain eu gosod wedyn ar lawr y ffowndri, a'u pacio â thywod ffowndri arbennig. (Mae sawl patrwm, yn eu blychau mowldio, i'w gweld ar lawr y ffowndri.) Ar ôl codi'r patrwm byddai'r tywod yn y blychau mowldio'n ddigon cywasgedig i dderbyn yr haearn tawdd, a fyddai'n caledu i siâp y patrwm.

Cludid haearn crai, haearn sgrap a golosg i'r ffowndri ar wagenni bychain. Câi'r haenau o haearn eu toddi yn y ffowndri am yn ail â haenau o olosg. Pan fyddai'r haearn wedi toddi'n llawn byddai'r gweithiwr yn tynnu plwg clai allan o dwll ar waelod y ffwrnais. Byddai'r haearn tawdd yn llifo wedyn ar hyd lander i mewn i'r lletwad.

O 1872 hyd 1966, pan gaeodd y ffowndri dros dro, defnyddid y craen i godi a gostwng y blychau mowldio. Fe'i defnyddid hefyd i ddal lletwad yn llonydd i dderbyn yr haearn tawdd o'r ffwrnais, ac yna ei symud i'w safle uwch ben y mowld cyn tywallt yr haearn. Mae yna ffwrnais lai i doddi pres i'r dde i'r ciwpola. Câi hon ei defnyddio i gastio *bearings* a darnau tebyg.

Bellach, mae modd gweld y ffwrnais pres ar waith yn rheolaidd. Roedd gweithio yn y ffowndri ar ddiwrnod castio'n waith digon caled a chwyslyd, ac ers talwm câi'r dynion fynd adref yn gynnar, unwaith iddynt orffen castio. Erbyn heddiw y ffowndri ar ddiwrnod castio yw un o'r gweithdai cynhesaf ar y safle ar fore oer!

Y LLOFFT BATRWM

Gallai'r gwneuthurwyr patrymau gynhyrchu patrwm ar gyfer unrhyw wrthrych metel yr oedd gofyn amdano yn y gweithdy: olwynion danheddog, partiau ar gyfer yr injans stêm - hyd yn oed cloch y cloc uwch ben y porth i'r gweithdai! Pîn melyn, meddal a ddefnyddid ar gyfer y patrymau. Byddai'r gwneuthurwyr patrymau yn defnyddio peth offer mecanyddol - dril piler, ffretlif, peiriant turnio a maen hogi a yrrid, fel y peiriannau yn y gweithdai eraill, gan yr echel. Serch hynny byddent yn gwneud yr holl waith cerfio manwl ar y patrymau â llaw. Oherwydd hynny ni châi'r gweithwyr eraill fynediad i'r llofft batrwm, rhag ofn iddynt ddwyn sylw un o'r gwneuthurwyr patrymau a pheri i'w law lithro, gan ddifetha'r patrwm. (Fodd bynnag, yn ôl y sôn roedd ysbryd yn y llofft batrwm - tybed a oedd hwnnw'n tarfu ar y gwaith o dro i dro?)

Mae modd gweld rhai o'r patrymau cywrain hyn yn y llofft batrwm - roedd rhyw 2000 o wahanol batrymau i gael i gyd. Rhyfedd meddwl mai wrth olau cannwyll y cerfiwyd y campweithiau hyn:

'Yr hen William Jones y pattern maker yno…Er'i fod o'n gweithio mor fanwl efo'r patryma, peth odd gynno fo'r adag hynny odd tamad o bren a pedair cannwyll odd arno. Odd o'n gorfod symud hwnnw o gwmpas ar y bwrdd lle'r oedd o'n gweithio ar y fainc. Odd o ddim yn taflu cysgod ar 'i waith o 'de. Odd o'n gweithio mor fanwl â hynny.'

Wrth reswm, roedd y llygod yn hoff iawn o gnoi'r canhwyllau, felly bu'n rhaid i'r chwarel archebu canhwyllau arbennig â blas drwg arnynt, at ddefnydd y Llofft Batrwm yn unig.

TAD A MAB YN Y GWEITHDAI/ Y SYSTEM BRENTISIAETH

'Pan oeddach chi'n dechra, roeddach chi'n cael mwrthwl gynnyn nhw'

Cynhyrchwyd y rhan fwyaf o'r patrymau sydd yng nghasgliad yr Amgueddfa gan aelodau un teulu o Lanberis, sef teulu Patrwm fel y'u gelwid. Eddie Patrwm oedd un o'r gwneuthurwyr patrymau olaf i weithio yma, a dilynodd yn ôl traed ei dad a'i daid.

'Cael gwaith' a wnâi hogyn a âi i weithio i'r chwarel; dechreuai fel 'belwr bach' (rybelwr), yn hel y graig sâl o'r fargen. Ar y llaw arall, 'cael lle' y gwnâi hogyn a ddeuai'n brentis i'r Gilfach Ddu. Yr oedd safon y brentisiaeth yn y gweithdai yma yn cael ei chydnabod gan gyflogwyr a chwmnïau llongau ym mhedwar ban byd.

Dyma Gwilym Davies yn cofio ei ddiwrnod cyntaf fel prentis yn yr iard: *'Overalls newydd a phob dim. Overalls a chôt liain, run fath â denim de, a mrawd hyna wedi prynu llif i mi yn Gruffydd Jones, Gaernarfon. Llif Henry Diston USA. A dwi'n cofio'n iawn y dyn yn siop yn deud, 'Agor y bocs,' a tair llif ynddo fo. Dwy yn mynd un ffordd ac un y ffordd arall.'*

'Pam ddechreuish i'n hogyn bach, dodd na'm cyflog i gal yn yr iard 'te. Oeddach chi'n gweithio am hannar blwyddyn am ddim. Cael chwech am hannar blwyddyn, yr ail hannar blwyddyn...yn ystod yr ail flwyddyn oeddach chi'n cal naw ceiniog yr wsnos o gyflog. Ac o hwnnw oedd isio talu'r swllt hospitol bob mis 'de.'

Y CWT INJAN AC UNA

Ers talwm, y 'Baltic' oedd enw'r cwt yma gan y dynion - gan gyfeirio at ei natur oer, drafftiog mae'n siŵr! Heddiw dyma gartref arferol *Una*, injan stêm 0-4-0, gauge 61cm, a adeiladwyd ym 1905 gan gwmni Hunslet o Leeds. Mae *Una*'n enghraifft dda o'r math o injan stêm a oedd ar waith yn y chwareli o'r 1860au ymlaen. Heb yr injans hyn, ni fyddai'r chwareli wedi datblygu fel y gwnaethant - yn wir, gallai'r cysylltiadau rheilffordd olygu llwyddiant neu fethiant i chwarel.

Treuliodd *Una* ei bywyd gwaith yn Chwarel Penyrorsedd yn Nyffryn Nantlle. Mae staff yr Amgueddfa wedi gweithio'n galed iawn i'w hadfer i'w chyflwr gwreiddiol, a bellach mae *Una* yn gweithio'n iawn. Mae hi'n codi stêm yn rheolaidd ac mae'n olygfa gwerth ei gweld yn ei lifrai gwyrdd tywyll a'i phres gloyw. Ond er bod gweld injan stêm ar waith yn ddeniadol iawn, nid oedd defnyddio'r injan go iawn yn y chwarel yn broses ramantus! Roedd disgwyl i'r gyrrwyr a'r tanwyr gyrraedd y chwarel erbyn rhyw 5 y bore i godi stêm ar gyfer gwaith y dydd, a hefyd i drwsio unrhyw fân broblemau. Byddai'r tanwyr yn bachu ac yn dadfachu wagenni, ar eu pennau-gliniau mewn dŵr, eira neu laid, ac yn ceisio gosod wagenni'n ôl ar y ffordd haearn drwy fôn braich. Yn aml byddent yn torri llengig neu'n colli bysedd yn y broses.

31

TRENAU BACH, CEIR A CHERBYDAU

Defnyddiwyd trenau yn y chwarel i gludo'r llechi i'r porthladd, ac yn ddiweddarach i gludo'r gweithwyr i'w gwaith hefyd. Ym 1848 roedd dwy injan stêm yn rhedeg ar hyd y cledrau - *Jenny Lind* a'r *Fire Queen*. Ym 1882 ychwanegwyd peiriant modern, cryf o'r enw *Dinorwic* at y stoc. Erbyn 1895 teithiai dau beiriant mawr arall ar y lein rhwng y Gilfach Ddu a Phenscoins ger Y Felinheli - sef *Amalthaea* (*Pandora* oedd ei henw hyd 1909) a *Velinheli*. Bu'r rhain yn tynnu trên y gweithwyr hyd 1947,

a'r trên llechi hefyd hyd 1961. Dim ond unwaith yn ystod y cyfnod hwn y methodd y trên erioed, sef yn ystod eira mawr 1929.

Rhwng 1848-95, fodd bynnag, defnyddiai'r gweithwyr beiriannau o'r enw '*velocipedes*' neu 'geir gwyllt' i gyrraedd eu gwaith. Roedd dau fath o 'gar gwyllt', sef y car cicio a'r car troi, a gallai'r rhain deithio'n ddigon cyflym gyda'r gwynt o'u hôl! Yn wir, byddai'r dynion yn aml yn rasio'r cerbydau hyn er iddynt gael eu gwahardd rhag gwneud. Ym 1858 boddwyd dau pan gollasant reolaeth ar y cerbyd a'i ddymchwel i Lyn Padarn.

Fel pob dim arall yn y chwarel, roedd ganddynt eu henwau - rhai digon ffansi fel *Garibaldi, Signor Foli* a'r *Duke of Cambridge*, a rhai mwy cartrefol fel *Y Gaseg, Jennie Bach* a'r *Falwoden Lwyd*. (Mae enghraifft i'w cael yng nghasgliad yr Amgueddfa.)

Ym 1895 teithiai dros fil o ddynion y dydd yn ôl ac ymlaen o'u cartrefi i'w gwaith yn y Gilfach Ddu; ychwanegid dau gerbyd fore Llun a phrynhawn Sadwrn ar gyfer y gweithwyr o Fôn. Byddai'r rhain yn teithio yn y cerbydau nesaf at yr injan a gelwid y rhain gan y gweithwyr eraill, yn gellweirus, 'y tryciau moch'.

Roedd pob math o injans yn y chwarel; rhai bychain a ddefnyddid ar y ponciau i weithio peiriannau tyllu, ac i dynnu slediau a wagenni rwbel, a dwy injan a weithiai'r ryn llechi ar reilffordd gwaelod y gwaith. Roedd y rhain yn rhy fawr i weithio ar y ponciau.

Gwelid hefyd fath arall o gerbyd ar y lein, a hwnnw'n gerbyd digon hynod, sef 'Y Salŵn' neu'r 'Garej Felen'. Cerbyd preifat teulu Assheton Smith oedd hwn, ac yn ogystal â chludo teulu'r Faenol a'u gwesteion ar ymweliad

â'r chwarel o bryd i'w gilydd, byddai'n cludo cyflogau'r gweithwyr bob wythnos o fanc y Felinheli, a dau ddyn arfog yn eu gwarchod.

HOLLTI A NADDU LLECHI

Ar un adeg roedd y gweithdy yma'n efail, ac yn ddiweddarach bu'n weithdy weldio. Yn y chwarel ei hun, yn y gwalia - sef y siediau gydag ochrau agored - oedd yr hollti a'r naddu'n digwydd; bellach mae'n digwydd ar fan pellaf yr iard, ond fe allwch chi weld y tri bwrdd llifio llechi yma o hyd. Mae'r pŵer o'r olwyn ddŵr yn gyrru'r tri drwy gyfrwng yr echel. Daw'r ddau fwrdd llai o Chwarel Dinorwig ei hun, ond daw'r mwyaf o Chwarel Penyrorsedd yn Nyffryn Nantlle. Mae'n dyddio o 1876.

Wrth weld crefftwyr wrth eu gwaith yn hollti a naddu, byddwch yn siŵr o ryfeddu wrth eu medrusrwydd - at sicrwydd y llygad a'r anel fathemategol bron wrth i'r cŷn daro'r llechen yn chwim a chysact.

Tasg trwm, llychlyd a swnllyd yw llifio llechi. Rhaid cadw cafn o ddŵr o dan y bwrdd i oeri'r olwyn wrth iddi dorri drwy'r slabyn o lechen, a lleddfu ychydig ar yr holl lwch a gynhyrchir. Pan fyddai cant neu fwy o fyrddau ar waith ar un tro, byddai cymaint o lwch yn yr awyr nes i ddyn fethu â gweld pen arall y sied, bron iawn. Roedd effeithiau'r llwch hwn yn andwyol iawn, wrth reswm, ar iechyd y chwarelwyr, gan arwain at anwylderau'r frest a silicosis.

Gwelwch nifer o beiriannau i naddu'r llechi yn y fan yma, hefyd: dau beiriant gilotîn a weithir â throedlath, i lifio'r llechi, a thri pheiriant i naddu'r llechi, un o Chwarel Dorothea, un o Benyrorsedd, a'r llall o Ddinorwig. Ond cofiwch, er y datblygwyd dulliau peiriannol a thrydanol

i hwyluso'r gwaith o lifio a naddu'r llechi, mai gyda llaw yr holltir llechi o hyd.

Yn eu horiau hamdden, ymfalchïai chwarelwyr yn eu gallu i drin a thrafod llechi a'u saernïo yn eitemau hardd a defnyddiol yn ogystal â llechi toi. Ceir

GWISG Y CHWARELWR

Dillad gwynion a wisgai'r chwarelwr ers talwm - trowsus melfaréd (cordŵroi) gwyn, gwasgod ffustion a chrysbas o liain gwyn. Gwisgai het fowler am ei ben ac esgidiau hoelion am ei draed. (Cyn bod sôn am helmedau diogelwch, roedd y fowler galed yn rhyw gymaint o amddiffyniad i'r pen.) Ar dywydd garw gwisgai gôt frethyn, a sach dros ei war ar ddiwrnod glawog. Deuai'r rhan fwyaf o'r dillad gwaith o siop G.O. Griffith Caernarfon. Gorchwyl gorfforol galed i'r merched oedd golchi'r dillad hyn. Daeth ofarôls i'r ffasiwn yn nes ymlaen ac roeddent dipyn yn fwy ymarferol at y gwaith.

'Trwsus melfaréd oedd i fynd i'r chwaral 'de, a sgidia trwm. Sgidia - a ryw gremian mowr iddyn nhw, a pedola mowr tu ôl 'de'

amryw enghreifftiau yn yr ardaloedd chwarelyddol o lefydd tân, hambyrddau a phaneli a gerfiwyd yn hynod o gywrain â phob math o symbolau, fel yr enghraifft hon.

ENWAU'R LLECHI O WAHANOL FEINTIAU

Gelwid enwau boneddigaidd eu naws ar y gwahanol feintiau o lechi yn ôl eu graddfa, gan amrywio o'r 'Ladis' (Ladies) 16 modfedd x 12 modfedd drwy'r 'Cowntesys' 20 modfedd x 12 ac i fyny drwy'r 'Dychesis' a'r 'Prinsesis' hyd y 'Cwîns' 42 modfedd x 27 modfedd.

Pam bod Cymry uniaith yn galw'r fath enwau Seisnigaidd ar eu llechi? Yn ôl y sôn, cychwynnodd yr arfer ddiwedd y 18fed ganrif, yn chwarel y Penrhyn, Bethesda, gyda gŵr o'r enw y Cadfridog Warburton.

IAITH A THERMAU'R CHWAREL

'Dodd na'm sôn am Susnag 'de…Cymraeg odd powb 'te wyddoch chi.'

Er mai Saesneg a siaradai perchnogion y chwarel a'r stiwardiad gwaith, Cymraeg oedd iaith y 'Lindys' a'r 'Hen Deulu', a honno'n Gymraeg annhebyg i Gymraeg unrhyw ardal arall. Fel unrhyw ddiwydiant arbenigol neu gymdeithas glos, yr oedd gan y chwarel lu o dermau unigryw a roddai gymeriad lliwgar ac arbennig iawn i iaith ardaloedd y chwareli. Dyma flas ar rai ohonynt o chwarel Dinorwig:

Bodiau llwyd: Diffyg yn y llechfaen, ar ffurf marciau hanner cylch fel pen bawd. Golygai na fyddai modd troi'r graig hon yn llechi. Mathau eraill o farc a welid yn y llechfaen oedd *dafadd* (neu edafedd) a *gwniadau*.

Canu heddwch: yr olaf o dri chaniad - dynodai bod cyfnod saethu'r graig drosodd am y tro.

Cerrig hogia bach: cerrig llai na phedair modfedd ar ddeg o hyd. Byddai'r rybelwr yn dysgu ei grefft wrth hollti a naddu'r rhain.

Crefft arbennig: mae'r llechi dal yn cael eu naddu â llaw heddiw

Dros Bont Bala : Os oedd dyn yn cael y sac dywedid iddo gael ei yrru 'dros Bont Bala', sef y bont wrth y fynedfa i'r chwarel.

Dyn twll: Chwarelwr sy'n feistr ar y grefft o gael at y graig a'i thrin wedyn.

Ffarwel rock: Craig mor eithriadol o galed nes y byddai'n rhaid troi cefn arni, neu ffarwelio â hi.

Haldiwario: Ffraeo ac ymgecru.

Jac Do: Pan fyddai chwarelwr ar y cyflog isaf dywedid ei bod yn 'Jac Do' arno, hynny yw bod y sefyllfa yn ddu iawn.

Lybeindio: Gweithio'n galed ac egnïol dros ben.

Pen Bryn Sbïo: Bryn bychan rhyw hanner ffordd rhwng y chwarel a'r Tŷ Powdwr, lle cedwid y ffrwydron. Gan fod yno olygfa dda o Lyn Padarn, Llyn Peris a'r Wyddfa roedd yn lle delfrydol i gael hoe fach a smôc - gan ofalu, wrth gwrs, gadw'r bag powdwr yn ddigon pell oddi wrth y sigaréts!

EFAIL Y GOF

'…oedd na hogia garw'n fanno â lot o straeon…
A'r hen fwrthwl mowr na'n mynd.'

Er bod i bob gweithdy ran hynod o bwysig i'w chwarae yng ngwaith y Gilfach Ddu, yr efail, ar lawer ystyr, oedd wrth galon y gwaith. Dyma lle deuai llawer o fân gydrannau a gynyhyrchid mewn rhannau eraill o'r Iard ynghyd yn sbrocedi neu'n gadwyni, yn echeli ac olwynion. Ar un adeg llosgai tanau mewn deuddeg pentan yma wrth i lu o ofaint daro a morthwylio i asio'r holl ddarnau metel a gynhyrchid gan y gweithdai eraill yn offer o bob math.

Gofaint diwydiannol oedd y rhain, felly, nid gofaint pedoli ceffylau. Roedd offer y chwarelwr yn gwbl hanfodol iddo yn ei waith, a hanfod gof da mewn chwarel lechi oedd deall anghenion y chwarelwyr. Golygai hyn ei fod yn medru paratoi arfau oedd yn amrywio yn ôl gofynion gwahanol ddynion a gwahanol fathau o

graig. Un o dasgau cyntaf y prentis gof fyddai gweithio gefeiliau, pinsiyrnau a darfathau at ei ddefnydd ei hun.

Roedd y drysau mawr dwbwl rhwng yr efail a'r cwt shears yn fodd cyfleus i gludo eitemau mawrion i mewn i'r efail, ac yn ffordd rwydd hefyd o fynd at y man lle cedwid y golosg a fwydai'r tanau. Ar anterth yr iard mae'n rhaid bod gwres y fflamau yn chwilboeth ac mae'n siŵr bod dwndwr y morthwylion wrth iddynt daro'r eingionau'n ddigon bron i fyddaru dyn.

Fel y morthwyl gofannu, sy'n dyddio o 1900, gyrrir y morthwyl niwmatig o 1924-5 sydd i'w weld yma gan yr ynni o'r olwyn ddŵr. Felly hefyd yr olwyn lifanu fawr sy'n sefyll y naill ben i'r gweithdy. Mae'r meinciau pren a'r feisiau a ddefnyddiai'r gofaint i ddal offer yn llonydd yn dal i sefyll yn erbyn muriau'r efail.

Bellach pedwar pentan sydd yma, a dau of, sy'n dal i wneud llawer o waith trwsio ar offer yr Amgueddfa. Maen nhw hefyd yn gyrru celfwaith hardd o ddur, fel y cennin pedr sydd i'w weld yma, ac sydd ar werth yn siop yr Amgueddfa.

YR IARD A'R CWT SHEARS

Mae amryw o wahanol beiriannau i'w gweld yn yr iard. Mae'r rhain yn cynnwys dau graen, y naill â pheiriant ager (arferai hwn ddadlwytho yn Y Felinheli), a'r llall yn dyllwr diesel o'r 30au, sy'n dangos y newydd wedd ar beiriannau diesel.

'Wagenni ymhob man wagenni isio trwsio, wagenni wedi câl i trwsio wedi'u paentio'n goch a nymbers mowr arny nhw ... 84 ar honno 'de. Ia. Olwynion sparion ymhob man yno.'

Mae'r Cwt Shears yn cynnwys rhai o beiriannau mwyaf y gweithdai, gan gynnwys y torrwr neu'r shears ei hun, a oedd yn torri dur trwchus â'i lafnau nerthol. Mae yma hefyd un o hen gywasgyddion (neu gompresor) Chwarel Dinorwig (er mai peiriant trydan cyfoes sydd bellach yn chwythu awyr iddo), a dyma'r awyr sy'n rhuo drwy'r corn ar y mur allanol yn ysbeidiol yn ystod y dydd. Corn Ffeiar Injan, un o ddau gorn y chwarel ers talwm, yw hwn. Sŵn cyfarwydd i boblogaeth y cylch, am dros ganrif a mwy, fu'r 'caniad' ben bore a'r caniadau rheolaidd yn ystod y dydd yn dynodi oriau saethu neu ffrwydro yn y chwarel.

Roedd y compresor hefyd yn chwythu awyr cywasgedig drwy rwydwaith o bibellau awyr a ymestynai drwy'r chwarel, ac o'r pibellau hyn y câi'r chwarelwyr yr awyr cywasgedig i yrru'r peiriannau tyllu a ddefnyddid ar wyneb y graig.

Gwelwch yma hefyd offer weindio - neu 'blondin', fel y'i gelwid gan y chwarelwyr, ar ôl y rhaff-gerddwr enwog o'r 19eg ganrif. Defnyddid yr offer yma i godi wagenni llwythog o waelod tyllau neu sinciau dwfn. Daw'r enghraifft hon o Chwarel Penyrorsedd, Dyffryn Nantlle, ac mae'n hynod oherwydd ei fod yn dangos defnydd o drydan mewn chwarel o'r cyfnod cyn 1914. Roedd gofyn i yrrwyr y 'blondin' ganolbwyntio'n llwyr ar ei waith, oherwydd medrai un camgymeriad olygu angau ar waelod y sinc. (Gyda llaw, deuai'r trydan o Orsaf Drydan Cwm Dyli yn Nant Gwynant, sy'n dal i weithio hyd heddiw.)

Y GWEITHDY TRWSIO A'R GWEITHDY PEIRIANNAU

Mae amrywiaeth a maint y peirianwaith sydd i'w weld yma yn rhoi rhyw gymaint o syniad am alluoedd technegol y staff a gyflogid yn y Gilfach Ddu. Yn y gweithdy trwsio mae modd gweld eitemau amrywiol o gasgliad yr amgueddfa. Yn eu plith mae bwyler rhybedog ar gyfer injan fach. Lluniwyd y bwyler hwn yng ngweithdai bwyleri'r cwmni ei hun yn Y Felinheli, ac mae'n rhoi rhyw syniad o'r safon uchel o'r grefft oedd ei hangen i lunio bwyler allan o blatiau rhybedog - un a fedrai wrthsefyll pwysedd dros 100 pwys y fodfedd sgwâr. Ar un o'r meinciau eraill gwelir nifer o ganiau a thuniau, gan gynnwys y tuniau bach crwn a ddefnyddid i roi cyflog i'r chwarelwyr. Lluniwyd y rhain gan of gwyn y chwarel, ac fe'u defnyddid yn bennaf i storio paraffin neu olew o wahanol fathau. Mae yma hefyd bwmp a

ddefnyddid i wthio dŵr i fyny i Ysbyty'r Chwarel, rhyw 500 medr i ffwrdd.

Yn y gweithdy peiriannau gwelir turn sy'n dyddio o 1900, a ddefnyddid at dyllu bob math o bethau - o olwynion drwm yr incléin hyd drofyrddau. Mae yma hefyd durn arall, 6.4 metr o hyd, a fyddai'n turnio echelydd trawsyrru a siafftiau gyrru ar gyfer fflyd y cwmni o longau ager. Defnyddid y peiriant slotio, ar y llaw arall, i dorri allweddfâu mewn olwynion gêr a phiniwn, sbrocedi a phwlïau gyrru. Gwelir yma hefyd glorian i bwyso rhaff. Ers talwm y chwarelwr ei hun fyddai'n gyfrifol am dalu a gofalu am ei raffau (yn ogystal â'i ffrwydron, ei gynion a'i dŵls eraill). Talai ar ei ganfed iddo felly gymryd gofal manwl o raffau a fyddai'n ei gynnal ac yntau, o bosib, yn gweithio ar graig gannoedd o fetrau o uchder.

Gallai'r rhan fwyaf o'r peiriannau sydd i'w gweld yn y gweithdai hyn wneud diwrnod da o waith o hyd, ac yn wir defnyddir rhai ohonynt o bryd i'w gilydd.

CYFLOGAU A THALU'R DYNION

Er bod gweithwyr y Gilfach Ddu yn grefftwyr profiadol a medrus, nid oedd ganddynt ddim ar bapur i brofi eu cymwysterau, ac fel gweithwyr cyffredin y caent eu talu. Er enghraifft, cyflog ffiter, saer neu of ym 1917 oedd 4/2 [21c heddiw] y dydd. Os digwyddai fod yn grefftwr arbennig o dda, ac wedi bod wrth y gwaith am flynyddoedd, câi 4/6 y dydd. Ni châi fforman - a oedd nid yn unig yn grefftwr o'r radd flaenaf ond hefyd yn dwyn tipyn go lew o gyfrifoldeb - fwy na 5 swllt [25c] y dydd yn yr un cyfnod.

Byddai'r chwarelwyr a dynion gweithdai'r Gilfach Ddu yn gweithio'r flwyddyn gron, heblaw am y Sul a phrynhawniau Sadwrn. Ychydig iawn o wyliau a gaent. Dywed Hugh Richard Jones, *'Doeddan ni ddim yn gweld golau ddydd tan ddydd Sadwrn yn y gaeaf. Roedd hi'n dywyll - cychwyn chwech y bora hyd chwech y nos.'*

Ers talwm telid i'r chwarelwyr bob yn bedair wythnos, ar ddydd Sadwrn - sef 'Sadwrn setlo' neu 'Ddiwrnod Cyfri' Mawr'. Trodd hyn ymhen amser yn dâl pythefnosol ac yna'n dâl wythnosol. Deuai'r cyflogau mewn tuniau bach crwn a roddwyd yn daclus ar hambwrdd mawr. Byddai'r prif glerc wedyn yn galw rhif y tun a'r dyn priodol yn camu 'mlaen i'w nôl. Os oedd hi wedi bod yn fis arbennig o dda, fyddai'r tun wedyn ddim yn ddigon mawr i ddal y cyflog. Anaml iawn y digwyddai hyn, ond pan wnâi, rhoddwyd gweddill yr arian mewn amlen a'i rhoi i'r dyn gyda'r tun - gelwid mis fel hwn yn 'fis enfilop'.

'O ni'n mynd i fyny - oedd na steps yn mynd i fyny ... o'r Gilfach Ddu i'r offis fawr ... y Golden Steps o nw'n galw nw'n y diwadd. O ni'n cerad i fyny fanna i nôl ein cyflog...'

'Digon isal odd cyflog yr iard mewn ffor' 'r adag hynny 'te wyddoch chi...y crefftwrs i gyd, seiri a gofaint a ffitars i gyd. Yr un gyflog 'te.'

STORFEYDD, SWYDDFA'R CLERC

Yn yr ystafelloedd hyn y gwnaed gwaith gweinyddol y chwarel. Dyma lle cedwid yr offer teliffon a gysylltai gwahanol rannau o'r chwarel â'r gweithdai. Dyma, hefyd, lle'r oedd y storfeydd. Yn y brif storfa cedwid haearn, dur ac eitemau mawr eraill ar reseli hir. Cedwid hefyd amrywiaeth syfrdanol o sgriwiau, hoelion a wasieri, a phob drôr wedi ei labelu'n gywir.

Ers talwm crogai bwrdd talis wrth y drws yn y fan hon (mae i'w weld nawr drwy ffenest y porth). Roedd gan bob dyn a weithiai yn y Gilfach Ddu ei dali ei hun a byddai'n cyflwyno hwnnw ar ddiwedd y dydd. Ni châi dynion oedd yn galw yn y storfeydd fynd i mewn i'r storfeydd eu hunain - roedd yn rhaid iddynt ofyn am yr hyn a geisient wrth ffenest gyfagos. Rhybuddiai arwydd ger llaw na ddylent oedi'n rhy hir!

1 - 4 FRON HAUL

Ym 1998 dechreuwyd ar broject cyffrous ac uchelgeisiol dros ben pan gymerwyd y camau cyntaf i symud rhes o bedwar tŷ o Fron Haul yn Nhanygrisiau ger Blaenau Ffestiniog i Amgueddfa Lechi Cymru. Oherwydd ei chyflwr gwael, cawsai'r rhes ei chondemnio gan Gyngor Sir Gwynedd. Mae'r tai yn gwbl nodweddiadol o'r tai teras cyfyng a welir ar hyd a lled y bröydd chwarelyddol. Gwelwyd bod yma gyfle unigryw, felly, i ddod â hanes y bröydd hynny yn fyw o'r newydd, a phenderfynwyd yn gynnar iawn y dylai'r tai adlewyrchu tri chyfnod a thair ardal a fu'n hynod o bwysig yn hanes y diwydiant llechi.

Rhif 3:
Oes Aur y Diwydiant Llechi (Tanygrisiau, 1861)

Yn y cyfnod hwn roedd y diwydiant llechi yn datblygu'n un o'r diwydiannau pwysicaf yng Nghymru a'r prif gyflogwr yng Ngwynedd. Wrth i'r galw am lechi gynyddu, symudodd gweithwyr o blwyfi amaethyddol cyfagos i weithio mewn diwydiant budr, peryglus a chaled, ond un a dalai gwell cyflog na'r hyn a delid ar y ffermydd lleol. Rhwng 1831 a 1881 tyfodd poblogaeth plwyf Ffestiniog o 1,648 i 11,274. Nid oedd modd i'r adeiladau gadw i fyny gyda'r cynnydd hwn ac yn aml byddai dau deulu yn rhannu'r un tŷ, neu byddai perthynas neu gyfaill yn lletya gyda'r teulu. Ym 1861 pâr priod oedd trigolion y tŷ, sef William Williams, chwarelwr a hanai o Drawsfynydd, ac Elen Williams o Lanbedr, Sir Feirionnydd. Roedd brawd William a lodjar o Sir Fôn yn byw yno hefyd. Lle'r oedd plant mewn teulu byddent yn rhannu ystafell gyda'u rhieni ac weithiau yn rhannu'r un gwely, neu'n cysgu mewn gwely 'gwneud' ar lawr. Roedd lleithder, y cyflenwad dŵr a charthffosiaeth hefyd yn broblem, a theiffoid a'r diciáu yn fygythiad cyson oherwydd hynny.

Tai Fron Haul yn eu safle gwreiddiol (darlun gan Falcon Hildred)

41

Rhif 2 Fron Haul, Bethesda, 1901

Rhif 1 Fron Haul, Llanberis, 1969

Rhif 2: Streic y Penrhyn (Bethesda, 1901)

Ym mis Tachwedd 1900 cerddodd 2,800 o chwarelwyr allan o Chwarel y Penrhyn: dyma gychwyn anghydfod eithriadol o chwerw a hirhoedlog yn hanes diwydiannol Prydain - y 'Streic Tair Blynedd' fel y'i gelwir yn aml. Ym mis Mehefin 1901 dychwelodd rhyw 500 o ddynion i'r chwarel ac o hynny allan, bu teimladau cryf iawn yn Nyffryn Ogwen ynglŷn â'r 'Bradwyr'. Yn y tŷ hwn mae'r tad yn chwarelwr ar streic a'r fam yn brwydro i ddal dau ben llinyn ynghyd. Mae ganddynt ferch ddwy ar bymtheg mlwydd oed a yrrwyd i weini - hi sy'n cynnal y teulu; bachgen oedran ysgol a babi. Bydd yr ymwelydd craff yn sylwi ar y cerdyn printiedig â'r geiriau 'Nid oes Bradwr yn y tŷ hwn' yn ffenestr y tŷ; gosodwyd y rhain yn ffenestri'r streicwyr, gan rannu'r gymuned yn ddwy garfan. Arhosodd y mwyafrif o'r cerdiau yn y ffenestri am dros ddwy flynedd - pan dynnwyd cerdyn o'r ffenestr roedd yn arwydd fod chwarelwr arall wedi torri'r streic. Yn ystafell wely'r rhieni gwelir fod tad y tŷ'n hel ei bac i geisio ei lwc yn Y Tymbl, Sir Gaerfyrddin. Amcangyfrifir bod rhwng 1,400 a 1,600 o chwarelwyr Dyffryn Ogwen wedi ymfudo i lofeydd de Cymru yn ystod y Streic Fawr er mwyn cynnal eu teuluoedd.

Cafwyd anghydfod diwydiannol yn chwarel Dinorwig, yn arbennig adeg y 'Cloi Allan' ym 1885-6, pan fu'r streicwyr o'u gwaith am gyfnod o bum mis - ond dim byd ar yr un raddfa â'r Streic Fawr hanesyddol.

Rhif 3 Fron Haul, Tanygrisiau, 1861

Rhif 1: Cau Chwarel Dinorwig (Llanberis, 1969)

Gwelwch ar unwaith, mae'n siŵr, mor wahanol yw'r tŷ olaf, a'i flaen wedi ei rendro a'i baentio'n felyn a'r gwaith coed yn las. Dyma Lanberis yn y flwyddyn 1969. Ym mis Gorffennaf yr un flwyddyn, arwisgwyd y Tywysog Siarl yn Dywysog Cymru yng Nghastell Caernarfon, ar lwyfan o lechen Dinorwig. Ym mis Awst, caewyd Chwarel Dinorwig: collodd 350 o ddynion eu gwaith yn ystod y gwyliau blynyddol. Go brin y meddylient wrth adael y chwarel a'r gweithdai ar ddechrau'r gwyliau na fyddent fyth yn dychwelyd yno. Yn Rhif 1 Fron Haul, fel yn y tŷ blaenorol, penderfynwyd gwneud defnydd o deulu cynrychioladol. Mae tad y tŷ newydd ddarganfod ei fod yn ddiwaith a hynny mewn ardal lle mae diweithdra eisoes yn uchel. Efallai y caiff swydd yn un o'r ychydig ffatrïoedd yng

nghylch Caernarfon neu o fewn y diwydiant twristiaeth. Mae'r fam yn gweithio mewn ffatri ddillad leol - 'y chwaral i ferched' - ac nid y cartref yw unig le'r wraig bellach. Mae eu mab yn yr ysgol, sy'n cynnig llwyfan ar gyfer themâu a phynciau newydd - er enghraifft teimladau cryfion rhai o bobl yr ardal yn erbyn yr Arwisgiad. Mae ffasiwn y dydd yn amlwg yn y tŷ hwn o'r unedau cegin, yr offer goleuo, y carpedi a'r llenni lliwgar, y recordiau sengl a'r dillad.

Defnyddir Rhif 4 yn dŷ addysg ar gyfer ymweliadau gan grwpiau. Mae'n fan cyfleus i adrodd stori neu wneud gwaith llaw.
'Nid tŷ sy'n gwneud cartref - nid mur a drws a ffenestr ac aelwyd - ond y pethau sydd ynddo, y lliain ar y bwrdd, y pot blodau a'r rhedyn ynddo yn y ffenestr … y gôt sy'n hongian tu ôl i'r drws.' (T. Rowland Hughes, 'O Law i Law')

SYMUD RHES FRON HAUL

Mae gan Amgueddfa Werin Cymru yn Sain Ffagan dros hanner canrif o brofiad yn y grefft

o ailgodi adeiladau hanesyddol, gan gynnwys rhes o dai gweithwyr haearn o Ryd-y-car ger Merthyr. Yn ystod 1998 felly rhifwyd holl friciau a cherrig Fron Haul, y llechi, cwarelau'r

ffenestri a'r drysau fel rhyw jig-so enfawr, a'u cludo'n ofalus i Lanberis. Ceir y cofnod cyntaf am y tai yng Nghyfrifiad 1861: diolch i grant gan Gronfa Dreftadaeth y Loteri Genedlaethol agorwyd y rhes yn ei chartref newydd ym mis Gorffennaf 1999.

AMODAU BYW: LLE'R WRAIG

Er bod llawer o ferched yn mynd allan i weithio cyn priodi - ac i weini fel morynion yn amlach na heb - wedi priodi, canran isel iawn o wragedd a fyddai'n gyflogedig y tu allan i'r cartref. Y patrwm cyffredinol oedd mai gartref oedd lle y wraig, yn gofalu am y plant ac yn sicrhau y byddai bwyd ar y bwrdd a heddwch ar yr aelwyd pan ddôi ei gŵr adref o'i waith. Âi'r rhan fwyaf o gyflog y chwarelwr yn syth i'w wraig i redeg y tŷ. Fel y mae Alwyn Owen yn cofio am yr arian, *'M'ond gweld nhw a dod â nhw adra oeddan ni'*

Tebyg iawn i'w gilydd o ran dodrefn a safon byw fyddai cartrefi'r chwarelwyr, a phrin iawn oedd yr arian dros ben i brynu unrhyw drimins ychwanegol.

'Gofala am lond dy gwpwrdd o fwyd, glo yn dy gwt, a cadw tŷ yn lân, a dim crandrwydd. Fedri di ddim byta crandrwydd.'
[Cyngor gan dad o chwarelwr i'w ferch ar ddydd ei phriodas.]

Er bod llawer o'r teuluoedd yn y pentrefi o amgylch Llanberis yn cadw tyddynnod bychain ac yn magu ambell i fochyn neu lo, dibynnai'r ardal gyfan ar y diwydiant llechi. Fel y mae Gwilym Davies yn cofio, *'Doedd dim byd ond chwaral. Doedd dim ffactri na dim byd. Chwaral neu plwy 'te.'* Bywyd caled, a oedd yn dreth corfforol ar ddyn, oedd bywyd y chwarelwr, a galluogai sgiliau domestig y wraig i'w gŵr weithio oriau hirach, gan roi cyfle iddo felly ennill ychydig mwy o gyflog. Ond rhaid cofio bod bywyd y wraig yn gorfforol galed hefyd, ar gyfnod pan oedd teulu o chwech neu saith o blant yn gwbl arferol, a'r un peiriant i gael i olchi dillad na glanhau'r tŷ. Cartref oedd ei dŷ i chwarelwr; i'w wraig, roedd yn weithle hefyd.

WEDI CAU'R CHWAREL, Y DIWYDIANT LLECHI HEDDIW

'Odd hi 'di slacio'n arw 'te. Ond nath neb feddwl bysai'n cau mor sydyn â hyna.'

'Fuo na'm diwrnod ola.'

Roedd Streic Fawr y Penrhyn ar droad y ganrif wedi effeithio'n aruthrol ar fasnach lechi Arfon yn gyffredinol. O'i chymharu â'r sefyllfa cyn y Streic, am gyfnod o dair blynedd, prin y daeth llechi o gwbl o'r chwarel enfawr hon. Trodd llawer cwmni a fu'n prynu llechi Cymru at gyflenwyr eraill yn ystod y cyfnod hwn ac ni ddaethant fyth yn ôl. Effeithiwyd ymhellach ar y diwydiant llechi gan yr Ail

Ryfel Byd, pan ddirywiodd y galw am lechi adeiladu yn ddirfawr, ac aeth llawer o'r dynion i'r fyddin. Er y bu cyfnod digon prysur o adeiladu yn y blynyddoedd wedi'r rhyfel, ni ddaeth y diwydiant llechi yng ngogledd Cymru fyth yn ôl i'w lle fel y bu. Yn ystod y pumdegau daeth yn amlwg bod y chwarel wedi ei gweithio allan mewn gwirionedd, ac er ymdrechion i ddod o hyd i graig dda ac arallgyfeirio, caeodd chwarel Dinorwig yn ddisyfyd ym mis Awst 1969.

Rhoddwyd offer a ffitiadau'r chwarel ar ocsiwn a dim ond drwy ymdrechion glew rhai o'r cyn-chwarelwyr yr arbedwyd rhai o'r eitemau sydd ar ddangos yn yr Amgueddfa heddiw. Yn ôl Hugh Richard Jones, *'O nw wedi gwerthu rai petha, a beth oedd yn nychryn i fwya oedd, dwi'n meddwl, gweld nw i fyny ar yr olwyn fawr. Mae'n debyg ych bod chi wedi gweld honno. O nw'n mynd i losgi honno, fel scrap. Mi ges i gyfle i stopio nw neud hynny, a siarad efo'r derbynnydd a'r arwerthwr, ac fe netho nw gau'r cwbwl i fyny a dodi'r 'vultures' o na i gyd. Vultures o ni'n galw'r bobl scrap ma, am i bod nw'n mynd â bob peth. Sdim ots beth fasen nhw'n weld, o nw'n mynd ag o, i'w storio ai losgi fo.'*

Agorwyd yr amgueddfa i'r cyhoedd ym 1972 â Hugh Richard Jones, cyn prif beiriannydd y chwarel, yn rheolwr arni.

Cyflogwyd nifer o gyn-chwarelwyr a pheiriannwyr Chwarel Dinorwig i gyflwyno ac egluro eu crefft, ac aethpwyd ati hefyd i gychwyn hel enghreifftiau arwyddocaol o offer perthnasol, gyda nifer o'r rhain wedi eu casglu o chwareli llechi eraill yng Nghymru. Dyma'r polisi hyd at heddiw: rydym yn falch o'r cyfle i ddefnyddio staff deallus, sydd yn deall cyd-destun helaethach hanes rhyfeddol y diwydiant llechi.

Ac mae'r diwydiant hwnnw yn parhau mewn bodolaeth. Cyflogir oddeutu 350 bellach yn chwareli llechi Cymru, gyda nifer sylweddol yn gweithio i Gwmni McAlpine yn Chwarel y Penrhyn, Bethesda, ac mewn nifer o chwareli llai sydd yn eiddo i'r cwmni o amgylch Blaenau Ffestiniog ac yn Nyffryn Nantlle. Parhau mewn bodolaeth, hefyd, mae cwmni hanesyddol J. W. Greaves yn Chwarel y Llechwedd, Blaenau Ffestiniog, tra mae cwmni Wincilate yn gyfrifol am yr unig gloddfa tanddaearol sydd bellach yn gweithio, sef Chwarel Aberllefenni. Cynhyrchu llechi toi yw sylfaen y diwydiant o hyd, ond yn ogystal fe wneir defnydd blaengar o lechfaen Cymru ar gyfer defnydd pensaerniol - gweler llechfaen Cwt-y-Bugail yn siop a chaffi yr Amgueddfa - ac ar gyfer myrdd o ddibenion eraill, megis sylfaen ffordd.

GWYBODAETH I YMWELWYR

Y SIOP
Y siop drawiadol, siâp octagon, a adeiladwyd o lechi lleol yw'r fynedfa i'r amgueddfa. Gwelwch yno hefyd amrywiaeth wych o anrhegion ac eitemau i'w prynu i fynd adref â chi. Mae'r rhain yn cynnwys bwydydd o Gymru fel bisgedi a jam; llyfrau a mapiau fydd yn allwedd i chi fwynhau cefn gwlad o'ch cwmpas; tlysau a gemwaith hardd sy'n bresantau delfrydol, a chrefftwaith unigryw a gynhyrchwyd yn y gweithdai, fel rheseli llyfrau o lechi a phlatiau enwau pres rhai o injans y chwarel ers talwm (gweler tud. 32).

Y FFOWNTAN
Enwyd caffi'r Amgueddfa, y Ffowntan, ar ôl yr wrn yn y Caban a ferwai ddŵr at de y dynion ers talwm. Cewch yma amrywiaeth o fwyd cartref blasus am bris rhesymol, yn brydau poeth ac yn brydau ysgafn fel cawl neu salad. Mae yma ddewis hefyd o gacennau a hufen iâ, a thrwydded os ydych am wydraid o win neu gwrw gyda'ch bwyd. Os ydych am fwyta'ch tamaid yn yr awyr agored, mae yna fyrddau picnic y tu allan i'r Ffowntan hefyd

TOILEDAU
Ceir toiledau merched, dynion, a'r anabl ger y fynedfa i'r Ffowntan. Mae yma hefyd ystafell bwrpasol at newid cewynnau babanod.

MYNEDIAD I YMWELWYR ANABL

Mae modd mynd â chadair olwyn i bob rhan o'r safle ac eithrio i'r llofft batrwm ac i mewn i dai Fron Haul (er bod modd mynd cyn belled â drysau'r tai). Mae yna lifft at yr olwyn ddŵr a gellir cyrraedd y llwybr at yr incléin mewn cadair olwyn. Mae llefydd parcio penodedig yn y maes parcio. Mae cadair olwyn ar gael wrth ofyn yn y siop.

I YMWELWYR GYDA NAM GWELD NEU AR Y CLYW

Un o'r pethau da am ymweld ag amgueddfa fel Amgueddfa Lechi Cymru yw'r profiad sydd i'r synhwyrau o ran synnau ac arogleuon yr arddangosfeydd a'r dangosiadau. Ychydig iawn o'r gwrthrychau sydd mewn cas gwydr, ac mae Dehonglwyr yr Amgueddfa a'r crefftwyr yn hapus i adael i ymwelwyr i gyffwrdd a dal unrhyw arddangosion neu ddangosiadau, ac i esbonio'u rôl – dim ond gofyn sydd rhaid! Gellir gweld cyflwyniadau fideo drwy'r Amgueddfa i gyd, a gellir gwisgo setiau pen yn Dwyn y Mynydd. Croesewir cŵn tywys a darperir powlenni dŵr wrth y fynedfa a ger tai'r chwalerwyr iddynt.

MAES CHWARAE A CHANFOD

Dyma fan hwylus i'r plant gael mwynhau chwarae'n ddiogel - gan ddysgu ar yr un pryd. Thema'r offer chwarae yw 'lîferi' ac mae'r si-sô, er enghraifft, yn dangos egwyddorion mecanyddol syml ar waith.

DIGWYDDIADAU

Cynhelir nifer o ddigwyddiadau tymhorol poblogaidd iawn yn yr Amgueddfa ar wahanol adegau'r flwyddyn, fel Calan Gaeaf, Ffair Gaeaf, Gŵyl Ddewi a Gwyl Banc mis Awst. Bydd y rhain yn cynnwys bwyd a diod traddodiadol a difyrrion ar gyfer plant ac oedolion. Cynhelir gweithgareddau arbennig ar gyfer plant yn ystod gwyliau'r haf.

Dyma sylwadau gan rai o'n hymwelwyr:
'Un o'r amgueddfeydd gorau i ni ymweld â hi erioed'
'Mae'r awyrgylch yn wych'
'Staff cyfeillgar, llawn gwybodaeth'
'Arbennig iawn - ac mae'r bwyd yn hyfryd'
'Ysbrydoliaeth!'

PARC GWLEDIG PADARN

Safle saith can erw yw Parc Padarn sy'n cynnwys dau Safle o Ddiddordeb Gwyddonol Arbennig a Gwarchodfa Natur Leol. Gallwch gerdded am filltiroedd ar rodfeydd arbennig o amgylch y llyn, neu ddilyn llwybr natur neu drywydd archaeoleg ddiwydiannol o amgylch Chwarel Vivian. Yn ogystal â'r Amgueddfa ei hun, mae atyniadau'r Parc yn cynnwys Rheilffordd Llyn Padarn, lle cewch deithio ar drên bach hyd lannau hardd y llyn. Mae yma hefyd weithdai crefft a siopau bychain, Canolfan Chwaraeon Dŵr Padarn a chanolfan ddeifio. Rhwng pob dim cewch ddiwrnod i'r brenin i'r teulu cyfan! Os am ragor o wybodaeth, ffoniwch (01286) 870892.

DATBLYGIADAU I'R DYFODOL

Mae Amgueddfa Lechi Cymru yn newid ac yn datblygu drwy'r adeg yn ei hymgais i gyfoethogi'r ffordd y bydd yn dehongli hanes y diwydiant chwarelyddol yng Nghymru. Ar hyn o bryd rydym wrthi yn cynllunio arddangosfa newydd yn hen weithdy'r seiri, fydd yn dod â gwahanol agweddau ar y diwydiant llechi yn fyw.

CYSYLLTIADAU

Amgueddfa Lechi Cymru
Gilfach Ddu
Parc Gwledig Padarn
Llanberis
Gwynedd LL55 4TY
Ffôn: (01286) 870630
Ffacs: (01286) 871906
e-bost: llechi@aocc.ac.uk
www.aocc.ac.uk

Mae Amgueddfa Lechi Cymru naw milltir
o Gaernarfon, deuddeg milltir o Fangor a
dwy filltir ar bymtheg o Fetws y Coed.
Dilynwch yr arwyddion i Lanberis o
gyffordd 11 yr A55. Mae gwasanaeth bws
rheolaidd o Gaernarfon a Bangor i
Lanberis. Ffoniwch yr Amgueddfa am
fanylion.

PARCIO

Mae digon o le i barcio ym maes parcio
Parc Padarn y tu allan i'r Amgueddfa.
Codir tâl yn ôl y dydd ar geir ond ni
chodir tâl ar goetsys.

YMWELIADAU GAN GRWPIAU

Os ydych yn awyddus i drefnu taith grŵp
i'r Amgueddfa, ffoniwch o flaen llaw os
gwelwch yn dda i drafod eich
trefniadau.

LLYFRYDDIAETH FER

Ysgrifennwyd dau o'r llyfrau mwyaf difyr yn y Gymraeg am Chwarel Dinorwig - neu, yn wir, unrhyw chwarel - gan gynchwarelwr yno o'r enw Emyr Jones. Mae ei gyfrolau *Canrif y Chwarelwr* (Gwasg Gee, allan o brint), sy'n cynnwys geirfa gynhwysfawr o dermau'r chwarel ynghyd ag esboniadau a lluniau, a *Bargen Dinorwig* (Tŷ ar y Graig, 1980, allan o brint) yn glasuron o'u bath, a mawr yw dyled y llawlyfr hwn iddynt.

Mae yno hefyd lu o lyfrau arbenigol, a'r rhan fwyaf yn Saesneg, am wahanol agweddau ar y diwydiant llechi. (Mae amryw o'r rhain ar werth yn siop yr Amgueddfa.) Dyma ddetholiad o rai o'r cyfrolau cyffredinol gorau:

The North Wales Quarrymen 1874-1922
R. Merfyn Jones (Gwasg Prifysgol Cymru)
A Gazeteer of the Welsh Slate Industry (Gwasg Carreg Gwalch, allan o brint)
The Slate Industry
(Shire Publications, allan o brint)

Wrth gwrs, mae i fro'r chwareli lenyddiaeth gyfoethog yn y Gymraeg. Cewch ddarlun byw o gymdeithas yr ardaloedd hyn ers talwm yn nofelau T. Rowland Hughes, yn arbennig *Chwalfa* (Gwasg Gomer) ac *O Law i Law* (Gwasg Gomer) a gwaith Kate Roberts, yn arbennig *Traed mewn Cyffion* (Gwasg Gomer) a *Te yn y Grug* (Gwasg Gee). Ond gellir dadlau mai nofel enwocaf yr ardaloedd hyn yw *Un Nos Ola' Leuad* gan Caradog Prichard (Gwasg Gee), golwg unigolyddol, fyw ar gymdeithas Bethesda cyn y Rhyfel Byd Cyntaf.

Yn ogystal â rhai o'r cyfrolau uchod mae siop yr Amgueddfa hefyd yn gwerthu tywyslyfrau, mapiau'r Arolwg Ordnans, a llyfrau o ddiddordeb cyffredinol.

CYDNABYDDIAETH

Daw'r dystiolaeth lafar a ddyfynnir yn y llyfr hwn o gyfweliadau gyda'r cynchwarelwyr Alwyn Owen, Gwilym Davies a Huw R. Jones. Mae testun llawn y cyfweliadau yn archif sain Amgueddfa Werin Cymru, Sain Ffagan.

Llun y llechi ar dudalen 8, ⓗ Alfred McAlpine Slate.
Y llun ar dudalen 20, ⓗ Bwrdd Croeso Cymru.
Y lluniau du a gwyn ar dudalennau 2, 4, 10, 11, 12, 13, 15, 17, 21, 22, 28, 32, 33, 34 ⓗ Gwasanaethau Archifau ac Amgueddfeydd Gwynedd.

Diolch i'r uchod am ganiatad i ddefnyddio'r lluniau.

LLINELL AMSER: RHAI DYDDIADAU PWYSIG

500 miliwn o flynyddoedd yn ôl: creu'r llechfaen

1300au   Chwarel Cilgwyn, Nantlle, yn cynhyrchu llechi

1700au
- **1787** sefydlu Chwarel Dinorwig
- **1790** Porth Penrhyn yn cael ei ddatblygu ar gyfer masnach allforio

1800au
- **1801** agor Llwybr Tramiau Penrhyn
- **1818** chwarel y Welsh Slate Company yn agor ym Mlaenau Ffestiniog
- **1820** adeiladu harbwr Porthmadog
- **1830** Chwarel Penybryn, Nantlle, yw'r chwarel gyntaf i ddefnyddio incléin gyda chadwynau
- **1848** defnyddir trenau stêm am y tro cyntaf ar Reilffordd Padarn
- **1874** sefydlwyd Undeb Chwarelwyr Gogledd Cymru
- **1874** cyflwynwyd trenau stêm ym Mhorth Penrhyn
- **1881** mae gan blwyf Ffestiniog dros 11,000 o drigolion
- **1890** caiff trydan-hydro ei ddefnyddio gyntaf yn Chwarel Llechwedd

1900au
- **1900-3** Streic Penrhyn, yr hwyaf yn hanes llafur Prydeinig
- **1918** cytunir ar isafswm cyflog gan berchnogion chwareli a swyddogion undebol
- **1920au** codwyd melinau malu yn Chwarel Penrhyn, i falu gwastraff llechi sy'n cael ei ddefnyddio i wneud heolydd
- **1940au** defnyddir gwastraff llechi i wneud blociau adeiladu
- **1964** mae cwmni Alfred McAlpine yn prynu Chwarel Penrhyn
- **1969** cau Chwarel Dinorwig, sefydlu'r amgueddfa
- **1972** Ceudyllau Llechi Llechwedd yn agor i'r cyhoedd
- **1999** caiff llwyth mawr o lechi o Chwarel Penrhyn ei ddanfon i Awstralia, i'w defnyddio ar gyfer gwaith adnewyddu wedi storm